머리말

오늘, 지금, 여기!

오늘은 블로그 시작하기에 딱 좋은 날입니다. 미뤄왔던 블로그 이제는 정말 시작할 때가 왔어요. 여기에서는 인공지능과 함께 쓰는 블로그의 매력과 가치에 대해 이야기하고자 합니다. 쉽게 셀프 브랜딩과 힐링을 할 수 있는 플랫폼 블로그를 해야 하는 이유에 대해 이야기하고 인공지능과 함께 글을 써 나가는 여정을 응원하고자 합니다.

블로그는 우리의 이야기를 담은 디지털 공간입니다. 인공지능과 함께 쓰는 블로그는 더욱 효율적이고 편리한 셀프 브랜딩을 가능하게 해줍니다. 우리는 블로그를 통해 자신의 전문성을 공유하고, 다양한 분야에서 사람들과 소통할 수 있습니다. 또한, 우리의 이야기를 통해 동심을 다시 불러일으키며 힐링을 경험할 수 있습니다.

이제는 더 이상 블로그를 미루지 말고 함께 시작해봐요. 여기에서는 블로그 시작을 위한 팁과 가이드를 제공하고, 여러분의 창의성을 발휘할 수 있는 아이디어도 함께 나눌 예정입니다. 또한, 인공지능이 제공하는 다양한 도구와 기능을 활용하여 블로그 운영을 더욱 쉽고 빠르게 만들어보세요.

마치며, 이 책은 여러분의 블로그 시작을 응원하고 지원하기 위해 만들어졌습니다. 함께 시작하는 여정에서 여러분은 셀프 브랜딩과 힐링을 동시에 경험하게 될 것입니다. 블로그는 여러분의 이야기를 전달하는 소중한 매개체이며, 인공지능과 함께라면 더욱 풍요로운 경험을 할 수 있을 거예요.

독자님의 블로그가 성공적으로 시작되고, 많은 사람들과 소통하며 성장하는 모습을 기대합니다. 응원할게요!

블로그 시작하기 딱 좋은 날
(인공지능과 함께 쓰는 블로그)

셜록언니

블로그 시작하기 딱 좋은 날 (인공지능과 함께 쓰는 블로그)

발행 | 2024년 3월 30일
저자 | 셜록언니
디자인 | 어비, 미드저니
편집 | 어비
펴낸이 | 송태민
펴낸곳 | 열린 인공지능
등록 | 2023.03.09(제2023-16호)
주소 | 서울특별시 영등포구 영등포로 112
전화 | (0505)044-0088
이메일 | book@uhbee.net

ISBN | 979-11-93116-57-9

www.OpenAIBooks.shop

저자 소개

셜록언니 (이주영)

블로거, 작가, 강사

복잡한 세상 편하게 살고 싶은 셜록언니.

자기만의 방식대로 이야기를 풀어나가는 사람이예요.

작가는 독자들에게 머리속엔 꽃밭을 심어주고 걸어 가는 길엔 꽃길을 만들어 주고 싶어요.

우리는 모두 즐겁고 재밌고 신나는 일이 가득한 인생이 살고 싶으니까요.

<작품활동>

"머리가 꽃밭인 채로 살기로 했다.", "루하네 주말농장", "수학 멀미스티커", "찰칵! 초코를 만나러 가는 주문" "나는 디지털 튜터 입니다." 등

블로그 https://blog.naver.com/5211420

인스타 @sherlock_sis

01
블로그의 시작

블로그를 시작하는 흔한 이유

블로그는 어떤 이유로 시작하게 될까요?

어떤 사람들은 여행지에서 찍은 아름다운 사진들을 공유하고 싶어서 시작하고요. 또 어떤 사람들은 집에서 만든 맛있는 요리 레시피를 남기고 싶어서 시작한대요. 그리고 또 다른 사람들은 개인적인 생각이나 감정을 표현하고 싶어서 블로그를 시작하게 되죠.

거창한 목표보단 가볍게 한두가지의 이유에서 시작하는 블로그.

제가 블로그를 시작하게 된 계시 역시 꽤나 실용적인 이유에서 시작되었습니다. 그때 저는 대학을 다니는 꼬꼬마 학생이었죠. 과제를 하면서 찾아낸 정보들과 공부하면서 배운 내용을 어딘가에 기록하고 싶었어요. 내 블로그에 공유하기 버튼을 눌러 저장하던 그때부터 제 블로그 기록의 시간은 시작이 되었습니다. 처음에는 누군가의 글을 공유해서 가져오기만 했어요. 그리고 과제 정도만 올려 뒀었죠.

블로그 시작하기 딱 좋은 날 (인공지능과 함께 쓰는 블로그)

셜록언니

목차

과제를 하던 어느 날 문득 새벽 감성 가득한 시간에 적어 내린 일상과 감정들이 꽤나 마음에 들었습니다. 한 번 더 적어볼까? 오늘도 적어볼까? 하는 마음으로 자꾸 자꾸 글을 적어봤어요. 그렇게 자연스럽게 블로거가 되었어요.

2007년 감성 넘쳤던 새벽 어느 날로부터 시작되었던 블로그 생활이 쌓이고 쌓여 곧 20년을 바라보는 때가 다가오고 있습니다. 그동안 꾸준히 쌓아왔던 내 포스팅들을 보면서 문득 그런 생각이 들더라고요.

"그저 기록하고 남겨두었던 이 모든 글들이 그동안 내가 걸어왔던 길이고, 기록은 나만의 역사가 되었구나."

블로그는 정말 제가 울고 웃고, 기쁘고 슬펐던 모든 순간을 잘 정리해 놓은 제 인생 모음집 같았어요. 그리고 이제는 정말 제 삶의 일부분이 되었습니다.

블로그는 시작하기도 쉽고, 관리하기도 편리해요. 그래서 많은 사람들이 블로그를 쉽고 빠르게 선택하고 블로거로서의 삶을 시작하게 됩니다.

가볍게 시작할 수 있는 장점을 가진 것과 별개로 블로그는 우리의 삶을 더 풍요롭게 만들어 줄 수 있는 도구가 될 수 있어요.

특히 이제는 검색 엔진을 쓰는 것처럼 쉬워져 버린 인공지능 모델들과 함께 할 수 있다면 우리는 천하무적 블로거!

이제부터 블로그에 대한 이야기를 이어 나가면서 인공지능과 함께 블로그를 더 쉽게 운영할 수 있는 방법을 나누어 보도록 할게요.

내가 네이버 블로그를 선택한 이유

블로그 플랫폼은 꽤 다양하게 있어요. 꽤 여러 가지 플랫폼에서 블로그를 작성할 수 있도록 공간을 제공해주고 있지요. 블로거들이 자신들의 플랫폼을 선택하도록 이점들을 많이 광고하면서요. 그런데 저는 왜 네이버 블로그를 선택했을까요?

이 질문에 대한 답변은 간단해요. 네이버는 한국에서 가장 인기있는 검색 엔진이기 때문입니다. 제가 블로그를 처음 작성했던 2007년에도, 그리고 지금도 여전히 한국에서 제일 많이 사용하고 있는 네이버. 이런 이유로 저는 네이버 블로그를 선택했어요.

특히 네이버는 큰 규모와 다양한 서비스를 자랑하죠. 뉴스, 검색, 쇼핑 등 다양한 서비스를 제공하고 이 모든 서비스가 하나의 플랫폼 안에서 연결되어 있어요. 그렇다 보니 네이버 블로그에 글을 쓰면 네이버의 다른 서비스를 이용하는 사람들에게 내 글이 노출되는 기회가 많아져요. 이 점은 정말 블로거에게 큰 이점이라고 할 수 있죠!

예를 들어, 플레이스(장소) 버튼을 눌러 다녀온 가게에 대한 후기를 포스팅 해 두면 이후에 그 가게를 네이버에 검색한 사람들이 [리뷰] 탭을 통해 내 글을 볼 수 있어요. 따로 내가 마케팅을 하는 등의 수고를 하지 않아도 편안하게 글 노출이 가능합니다.

그 외에도 네이버 블로그는 직관적인 시스템과 디자인으로 처음 블로그를 운영하는 사람들에게도 별다른 어려움 없이 글을 쓰고 올릴 수 있도록 도와줘요.

이런 이유들로 인해 저는 네이버 블로그를 선택했고, 지금도 만족하며 사용하고 있어요.

네이버 블로그의 가장 큰 매력은 바로 '사용자 친화적인 디자인'과 '넓은 노출 기회'라고 생각해요. 이 두 가지 이유로 인해 많은 사람들이 네이버 블로그를 선택하게 되는 것 같아요.

그러나 블로그를 선택하는 것은 개인의 선택이니, 여러분들이 블로그를 선택할 때는 본인의 상황과 필요에 맞춰서 선택하시면 될 것 같아요. 블로그를 통해 어떤 정보를 공유하고 싶은지, 어떤 콘텐츠를 만들어갈 것인지를 고려하면서 선택하시면 좋을 것 같아요. 또한, 여러분들이 블로그를 통해 어떤 목표를 달성하고 싶은지도 고려해보세요. 그럼 더욱 목적에 맞는 블로그 플랫폼을 선택할 수 있을 거예요.

블로그를 하면서 달라진 것

블로그를 본격적으로 시작하게 된 이후로 제 삶에는 많은 변화가 있었어요. 그중에서도 가장 큰 변화는 바로 '블로거'라는 새로운 페르소나, 그러니까 유행하는 말로 부캐릭터를 갖게 된 것이죠.

이전에는 그저 일상을 기록하는 블로거였다면 본격적으로 블로그를 하게 된 이후에는 새로운 역할이 생기고, 그 역할에 맞게 행동하는 사람이 되었죠.

가장 먼저 보였던 변화는 바로 삶을 바라보는 시각이었습니다.

매일 똑같은 일상과 똑같은 생활 패턴 그리고 똑같은 생각만 하며 지내던 일상에 블로그라는 단어가 들어오기 시작하면서 조금씩 다르게 느껴졌어요.

"오, 이건 블로그에 뭐라고 적으면 좋을까?"

"진짜 꿀팁이잖아! 내 블로그에 꼭 적어 둬야지!"

이런 생각들이 들기 시작했어요. 일상의 평범하고 소소했던 일상들이 누군가에게는 필요한 포스팅이 될 수 있다는 생각이 들고 그 순간들을 기록하면서 모든 일상을 특별하게 바라보는 새로운 시각을 가지게 되었습니다.

모든 일상이 특별해지기 시작하면 그때부터 나도 특별한 사람이 되더라고요.

제 이런 생각은 지인들을 만날 때에도 빛을 발휘하더라고요. 지인들 역시 블로거인 저를 특별하게 여겨주어서 꼭 블로그 포스팅 할 수 있도록 사진을 찍을 시간을 내어주거나, 포스팅에 쓰면 좋을 주제들을 추천해주기도 했어요. 나아가서는 함께 블로그를 시작하면서 소소한 일상을 특별하게 만들어 나가기도 했어요. 블로거가 되면서 생긴 이 평범하지만 특별한 일상들이 너무 소중해요.

뿐만 아니라 블로그를 하면서 경제적인 수익을 얻기도 했어요. 체험단이나 협찬, 원고료를 통해서 수익을 창출하기 시작했는데, 이는 제가 블로그를 통해 얻은 또 다른 보상이었습니다.

물론 블로그를 시작한 목적이 수익화 때문은 아니었지만 경제적인 수입이 생기게 되는 부분들은 저에게 큰 동기부여가 되기도 했어요.

그리고 또 다른 변화는 바로 소통의 다양화였어요. 남녀노소 누구나 할 수 있는 네이버 검색! 검색을 통해 내 블로그에 찾아오는 독자들과 다양하게 소통할 수 있고, 나와 다른 사람들의 이야기를 듣고 나누며 새로운 시각과 경험을 더할 수 있었습니다.

이런 변화들을 경험하면서 블로그로 인해 긍정적인 에너지를 정말 많이 받았어요. 블로그로 인해 제 삶이 더욱 풍요롭게 변화하고 있다는 것을 느끼며 살아가고 있습니다.

02
네이버 블로그의 이해

네이버 블로그의 특징

여러 가지 블로그 플랫폼들이 많이 있지만 네이버 블로그만의 특징들이 있어요. 이 특징을 잘 알고 있는 것도 블로그를 잘 운영하고 관리하는 것에 큰 도움이 되더라고요.

첫 번째로 네이버 블로그의 가장 큰 특징은 바로 네이버 검색과의 연동성이에요. 네이버 블로그는 네이버 검색엔진과 밀접하게 연결되어 있어요. 이 말은, 우리가 네이버 블로그에 글을 올리면 그 내용이 네이버 검색 결과에 빠르게 반영된다는 거죠. 이런 특징 덕분에 블로그를 통해 정보를 공유하거나 홍보하는데 아주 큰 도움이 됩니다. 예를 들어, 여행을 다녀오고 그 경험을 블로그에 올리면, 네이버 검색을 통해 해당 여행지에 대해 알아보는 사람들이 우리의 블로그를 찾아볼 수 있어요. 이렇게 되면 우리 블로그의 독자 유입이 쉽게 이루어질 수 있습니다. 다른 블로그 플랫폼들은 이런 검색엔진과의 연동성이 떨어지는 경우가 많이 있어서 검색창에서 내 블로그가 노출되는 것이 어려울 수 있어요.

두 번째로, 네이버 블로그는 사용하기가 아주 편리해요. 글을 쓰는 것부터 사진을 올리는 것, 댓글을 달아 소통하는 것까지 모두 쉽게 할 수 있어요. 게다가 블로그를 예쁘게 꾸미고 싶을 때는 다양한 템플릿과 레이아웃 중에서 마음에 드는 걸 선택해서 사용할 수 있습니다. 예를 들어, 가족 블로그를 운영하고 싶다면 따뜻한 느낌의 템플릿을, 패션 블로그를 운영하고 싶다면 세련된 느낌의 레이아웃을 선택할 수 있어요. 이런 부분에서 네이버 블로그는 사용자 친화적이고 다양하게 사용할 수 있는 인터페이스를 제공한다고 할 수 있어요. 특히 각 블로거의 스타일에 알맞게 홈페이지형 블로그 레이아웃을 선택해서 내 사이트처럼 만들어볼 수도 있고요, 블로그 디자인이 어려운 블로거에게는 다양한 템플릿을 제공해주기 때문에 취향대로 조합해서 블로그를 꾸밀 수 있어요. 다른 플랫폼들은 이런 점에서 사용이 더 복잡하거나 단순한 디자인 뿐인 경우가 있어요.

세 번째로, 네이버 블로그는 많은 사람들이 이용하고 있어서 다양한 사람들에게 내 이야기를 공유할 수 있어요. 네이버 블로그의 사용자들은 다양한 분야의 관심사를 가지고 있어서, 우리가 쓴 글을 많은 사람들이 볼 수 있답니다. 예를 들어, 요리 레시피를 공유하면 요리에 관심 있는 사람들이, 패션에 대한 포스팅을 하면 패션에 관심 있는 사람들이 찾아와서 읽을 수 있어요. 이런 특징은 다른 플랫폼들보다 사용자 수가 많은 네이버 블로그에서만 누릴 수 있는 장점이죠.

네 번째로, 네이버 블로그는 블로그 운영에 필요한 다양한 기능들을 제공해요. 방문자 수를 확인할 수 있는 통계 기능, 글에 태그를 달아 특정 주제의 글을 쉽게 찾을 수 있는 태그 기능, 블로그에 방문한 사람들과 소통할 수 있는 댓글 기능 등이 있어요. 이런 기능들은 블로그 운영에 큰 도움이 되는데요, 예를 들면, 통계 기능을 통해 어떤 글이 많은 관심을 받았는지, 어떤 시간대에 방문자가 많은 지 등을 알 수 있으니, 이를 바탕으로 글을 쓰는 시간이나 주제를 조절할 수 있습니다. 특히 내 블로그에서 어떤 글이 가장 인기가 좋은 지, 그 글을 찾아서 들어오는 검색어는 어떤 것인지 모두 볼 수 있어요. 이런 기능들을 꾸준히 사용해서 독자를 분석하다 보면 내가 써야 하는 글이 어떤 글인지, 나는 어떤 주제에 대한 이야기를 잘하는지도 가늠해 볼 수 있어요.

마지막으로, 네이버 블로그는 블로그 운영에 대한 다양한 정책을 제공해요. 블로그 운영 가이드라인, 저작권에 대한 정책, 광고에 대한 정책 등을 알려주고 있어요. 이런 정책들은 블로그를 어떻게 운영해야 할지, 어떤 점을 주의해야 할지에 대한 가이드라인을 제공하므로, 이를 참고하면서 블로그를 운영하는 데 많은 도움이 됩니다.

이런 이유들로 네이버 블로그는 많은 사람들에게 사랑받고 있어요. 물론, 각자의 목표와 필요에 따라 다른 블로그 플랫폼을 선택하는 것도 좋아요. 하지만, 네이버 블로그는 그 특별한 매력으로 많은 사람들에게 좋은 선택지로 인식되고 있어요!

네이버 블로그의 장단점

네이버 블로그의 장점을 이야기하자면, 먼저 네이버 검색과의 밀접한 연동성을 빼놓을 수 없을 것 같아요. 네이버 블로그의 글이 네이버 검색 결과에 빠르게 반영되어, 정보를 공유하거나 홍보하는 데 큰 도움이 되죠. 특히 블로그의 독자 유입을 증가시키는데도 큰 역할을 하고요.

그리고 네이버 블로그는 언제 어디서든 쉽게 접근할 수 있게 모바일 접근성이 뛰어나다는 점도 큰 장점이에요. 스마트폰이나 태블릿 등의 모바일 기기에서도 쉽게 블로그를 관리하고 업데이트할 수 있습니다. 블로거가 언제든지 손쉽게 블로그를 관리하고, 원하는 장소, 원하는 시간에 편안하게 포스팅을 할 수 있게 해주는 큰 장점이죠.

또한, 네이버 블로그는 애드포스트를 통해 광고 수익을 블로거와 공유해요. 블로거가 자신의 블로그를 통해 수익을 얻을 수 있도록 해주죠. 아주 많은 수익은 아니지만 블로거에게는 제일 먼저인 수익화 방법 중 하나예요.

마지막으로, 한국에서 네이버 블로그를 운영하면 협찬이나 체험단 신청 등의 기회도 많이 있어요. 이는 블로거가 다양한 제품이나 서비스를 경험하고, 그 경험을 독자와 공유하면서 블로그의 풍부한 내용을 만들어 볼 수 있어요.

하지만, 네이버 블로그에도 몇 가지 아쉬운 점이 있어요.

첫 번째로, 네이버는 사용자당 3개의 아이디를 만들 수 있지만, 각 아이디 당 1개의 블로그만 운영할 수 있어요. 다양한 주제로 블로그를 운영하고 싶은 블로거에게는 제한적이지 않을까 하는 생각이 들어요. 사실 저도 같은 아이디에서 여러 가지 주제를 가진 또 다른 블로그를 운영 해 보고 싶었거든. 이미 조금 알려져 있는 블로그를 연동시켜서 해 보고 싶었는데 이런 제한은 아쉬운 점으로 작용할 수 있죠.

그리고 두 번째로, 애드포스트를 통한 광고 수익이 타 블로그 플랫폼에 비해 현저히 적다는 점이 있어요. 네이버 블로그에서는 애드포스트를 통해 광고 수익을 블로거와 공유하지만, 이 수익은 대체적으로 타 블로그 플랫폼에 비해 적은 수준이에요. 이로 인해 블로그를 통한 수익 창출을 주 목적으로 하는 블로거에게는 불리한 점이 될 수 있답니다.

이렇게 적어 보니, 네이버 블로그는 독특한 장점과 단점을 가지고 있는 것 같아요. 여러분이 블로깅을 시작하려고 할 때, 이러한 장단점을 충분히 고려하시는 게 중요해요.

여러분의 목표와 필요성에 따라 가장 적합한 블로그 플랫폼을 선택하시는 게 좋아요. 다양한 주제를 다루는 여러 개의 블로그를 운영하고 싶거나, 블로그를 통한 수익 창출을 주 목적으로 하는 경우, 다른 블로그 플랫폼을 고려해보시는 것도 좋을 거 에요.

03
네이버 블로그 포스팅의 기술

네이버 블로그 관리와 운영전략

블로거라면 누구나 꾸준한 독자 유입과 활발한 활동을 원하지만 블로그를 꾸준히 운영한다는 것은 생각보다 쉽지 않은 일이에요. 그래서 일정한 전략과 효과적인 관리 방법이 필요해요. 이번 장에서는 네이버 블로그를 관리하고 운영하는 전략에 대해 이야기 해볼게요.

먼저, 블로그 운영에서 가장 중요한 것은 '꾸준함'이에요. 꾸준히 포스팅을 하면 검색 엔진에 잡히기 쉬워져서 새로운 독자들이 찾아오기도 하고, 기존 독자들에게도 새로운 정보를 제공할 수 있어요. 그런데 여기서 '꾸준히'라는 말은 그저 매일 글을 쓰는 것만을 의미하는 것이 아니에요. 블로그를 운영하는 목적과, 그에 따른 콘텐츠의 질을 유지하면서 일정한 주기로 업데이트를 하는 것이 중요해요.

그렇다면 얼마나 자주 포스팅을 해야 할까요? 사실 이는 블로거마다, 그리고 블로그의 주제나 목적에 따라 달라요. 하지만 일반적으로는 1일 1포스팅이 가장 이상적이라고 할 수 있어요. 매일 포스팅을 하는 것이 검색 엔진 최적화(SEO)에 큰 도움이 되기 때문이죠. 하지만 이것이 무조건 최적화를 보장하는 건 아니에요. 중요한 것은 블로그를 운영하는 블로거 자신이 할 수 있는 범위 내에서 최대한 꾸준히 포스팅을 하는 것이에요.

그리고 매일 포스팅을 한다고 해서 모든 포스트가 긴 글이어야 하는 것은 아니에요. 짧은 소식이나 팁, 사진 등을 공유하는 것만으로도 충분해요. 물론, 깊이 있는 글이나 정보를 제공하는 글이 독자들에게 더 큰 가치를 줄 수 있지만, 이런 글을 매일 쓰는 것은 쉽지 않죠. 그래서 주요 콘텐츠는 주 1~2회 정도로 하고, 그 외의 날은 간단한 정보나 소식을 공유하는 것도 좋아요.

그리고 블로그 운영에 있어서 중요한 것이 하나 더 있는데요, 바로 '독자와의 소통'입니다. 블로그는 단순히 정보를 전달하는 수단이 아니라, 블로거와 독자 간의 소통의 장이기도 하죠. 그래서 독자들의 댓글이나 메시지에는 꼭 답변을 해주는 것이 좋아요. 이렇게 하면 독자들이 블로그에 대해 더 많은 애정을 갖게 되고, 블로그 활동에 대한 동기부여도 될 수 있어요.

꾸준한 포스팅과 독자와의 소통을 통해 블로그를 운영하는 것이 기본적인 전략이지만, 성공적인 블로그 운영을 위해서는 좀 더 세부적인 전략이 필요해요. 예를 들어, 어떤 주제의 포스팅이 독자들에게 인기가 많은 지 파악하고, 관련 주제의 포스팅을 더 많이 작성하는 것이 하나의 전략이 될 수 있어요. 이를 위해 네이버 블로그의 '통계' 기능이나 실시간 트렌드 기능을

상위 노출을 위한 노하우는 키워드

블로그를 시작하게 되면 꼭 듣는 단어. 바로 상위 노출! 각 블로거들마다 자신만의 상위노출 방법을 가지고 있다고 해도 과언이 아닐 만큼 네이버 블로그는 검색과 연동되기 때문에 네이버에 잘 검색되는 것. 즉, 상위노출을 꼭 신경 써서 글을 작성해야 해요.

검색엔진에 노출을 높이기 위해서 '~하는 방법을 써라.' 하는 것들은 매번 있었지만 그것도 매번 방법들이 바뀌더라고요. 짧게는 한달 길게는 6개월 단위로 상위 노출이 되는 기준들이 자꾸만 바뀌는 노출방법 속에서도 절대 바뀌지 않는 방법 중 하나는 바로 키워드를 잘 잡는 것입니다.

상위노출을 하기 위해 홍보를 하거나 특정 트랜드를 따라 작성하거나 하는 방법들은 조금씩 바뀌지만 제대로 된 키워드를 정확하게 잡아야만 상위노출이 잘된다는 법칙은 변하지 않았어요.

상위 노출이 되기 위해 키워드를 선택할 때 다음 원칙들을 고려하면 키워드 선택이 쉬워져요.

1) '관련성': 키워드는 쓰려는 글의 주제와 내용을 정확하게 반영해야 해요. 주제와 무관한 키워드를 사용하면, 검색 엔진이 포스팅의 내용을 정확히 이해하지 못하고, 독자들도 기대하는 정보를 얻지 못할 수 있습니다.

'관련성'은 선택한 키워드가 블로그 포스트의 내용과 일치하는 정도를 말해요. 키워드는 포스트의 주제를 대표하는 단어나 구문이어야 하며, 해당 포스트가 어떤 내용을 다루는지 검색 엔진과 독자에게 명확하게 알려주는 역할을 합니다.

예를 들어, '서울 여행'에 대한 포스트를 작성한다면, '서울 여행', '서울 관광지', '서울 맛집' 등과 같은 키워드를 생각할 수 있는데, 이런 키워드들은 포스트의 주제와 직접적으로 관련되어 있어서 이 주제에 관심이 있는 독자들이 검색할 가능성이 높아져요!

반면에, '서울 여행' 포스트에서 '부산 맛집'이라는 키워드를 사용하는 것은 관련성이 떨어집니다. 이 키워드는 포스트의 주제와 직접적인 연관성이 없으며, '부산 맛집'을 검색하는 독자들에게는 '서울 여행' 정보가 필요하지 않아요. 이 경우, 검색 엔진은 포스트의 내용을 정확히 이해하는 데 어려움을 겪을 수 있고, 독자들 역시 원하는 정보를 얻지 못해서 좋은 글이 될 수 없어요.

따라서, 키워드를 선택할 때는 포스트의 주제와 내용에 직접적으로 관련된 단어나 구문을 선택하는 것이 중요합니다.

2) '키워드 수요': 키워드는 독자들이 검색하는 단어나 구문이어야 해요. 독자들의 검색 행동을 이해하고, 그들이 관심 있을 만한 키워드를 선택해야 하고, 독자들이 검색을 할 단어나 문

무엇일까요? 서울 여행에 대한 제 이야기를 들어보세요." 라고 써 있다면 어떤 가요? 어색하게 느껴 지시나요? 키워드 '서울 여행'을 과도하게 반복하고 있어서 독자들에게 글이 부자연스럽게 느껴질 수 있습니다.

키워드를 콘텐츠에 넣을 때는 항상 '자연스러움'을 기억하고 글을 써야 합니다. 그래야지만 독자에게 편안하게 읽히고, 검색엔진에게도 콘텐츠의 주제를 올바르게 이해할 수 있게 도와줄 수 있어요. 검색엔진이 정확하게 이해할 수 있는 글이 된다면 검색 엔진 최적화(SEO) 성과를 높일 수 있어요.

04
AI와 네이버 블로그

AI (GPT) 이해하기

AI(GPT)는 인공지능의 한 종류로, GPT는 "Generative Pre-trained Transformer"의 약자예요. GPT는 딥러닝을 기반으로 한 자연어 처리 모델로, 다양한 자연어 텍스트를 학습하여 텍스트 생성과 이해를 수행하는 인공지능 모델이죠.

GPT의 기본적인 원리는 크게 두 가지로 나눌 수 있어요.

첫째, 전처리(pre-training) 단계에서는 대규모의 텍스트 데이터를 사용하여 모델을 사전 학습합니다. 이를 통해 모델은 문법, 단어의 의미, 문맥 등 다양한 언어적 특성을 학습하게 됩니다.

둘째, 세부 작업(task-specific)을 위한 미세 조정(fine-tuning) 단계에서는 특정한 작업을 수행할 수 있도록 모델을 추가로 학습시킵니다.

자들에게 더 많은 관심과 반응을 가져올 수 있는지 파악할 수 있습니다.

AI를 활용하여 네이버 블로그를 운영하는 것은 글을 작성하는 작업을 보조해주고, 블로그 운영에 큰 도움을 줄 수 있습니다. 하지만 앞서 말한바와 같이 AI는 여전히 독자와의 감성적인 연결이 필요한 블로그 활용에서 완벽하게 대체하기에는 한계가 있어요. AI를 도구로 활용하면서도 개인적인 특성과 창의성을 유지하는 것이 가장 중요해요. AI의 조언이나 제안을 받아들일 때에도 항상 블로거의 주관과 판단이 중요하며, 독자와의 소통과 연결을 유지하는 노력이 필요합니다.

GPT4나 뤼튼, 바드 같은 인공지능 모델들이 점점 똑똑해지면서 이제는 정말 사람이 작성한 글인지 인공지능 모델이 작성한 글인지 모르겠을 때가 많아졌어요. 그럼에도 불구하고 아직까지 블로그 내에서 개개인의 말투나 취향 그리고 글의 분위기는 모두 옮겨내지는 못한다고 생각해요. 이렇듯 AI를 사용해서 모든 포스팅을 작성하기에는 한계점이 있어요.

첫째, AI는 기존 데이터를 기반으로 동작하기 때문에 새로운 아이디어나 창의성을 제공하기는 어려워요. 블로그 포스팅은 개인의 경험과 의견을 담은 글이기 때문에, AI는 이러한 면에서 인간의 창의성을 완전히 대체하기에는 한계가 있습니다.

둘째, AI는 감성이나 인간적인 요소를 이해하고 전달하는 능력이 제한적입니다. 포스팅은 독자와의 감성적인 연결과 소통을 통해 성장하고 의미를 가지는 과정입니다. AI는 이러한 면에서 인간과의 상호작용을 완벽하게 대체하기는 어렵습니다.

AI로 블로그를 쓰는 것은 도구로서의 활용으로만 사용하는 것이 좋아요. AI는 블로거에게 효율성을 제공하고 다양한 작업을 보조할 수 있으니까요. 하지만 우리는 블로그를 통해 상대와 상호작용을 하고 소통을 해 나가는 사람으로서 모든 생각과 글을 AI에게 모두 맡기는 것은 옳지 않아요. 우리의 주관과 창의성은 꾸준히 유지하면서 독자와의 관계를 이어 나가는 블로거가 되어야 하겠습니다.

미해요.

경쟁이 높은 키워드는 인기가 많은 키워드라는 뜻이고, 그건 바로 각 블로그나 웹사이트들이 이미 해당 키워드를 대상으로 SEO작업 그러니까 최적화 작업을 해 놓았을 가능성이 커요.

그래서 상위에 노출되기가 참 어려워요.

그렇기 때문에 우리는 키워드를 선택할 때 꼭 경쟁정도를 고려해서 선택해야 합니다.

수요가 높지만 경쟁은 많지 않은 키워드를 찾는 것이 핵심이예요.

그러나 일반적으로 그런 '꿀 키워드'를 찾는 건 꽤나 어려워요. 그래서 앞서 말한 것 과 같이 '롱테일 키워드'를 찾기도 해요. '롱테일 키워드'는 보통 3~4개 이상의 단어로 이루어진 구문 또는 문장으로 구체적인 검색어를 의미해요. 예를 들어, '겨울에 아이랑 가기 좋은 서울여행'와 같은 키워드는 '서울여행'이라는 일반적인 키워드보다 경쟁이 덜하며, 특정한 정보를 찾는 사람들에게는 큰 가치를 제공할 수 있죠.

블로그 글을 쓰면서 키워드를 선택할 때는 수요와 경쟁을 동시에 고려해야 해요. 높은 수요와 낮은 경쟁을 가진 키워드를 찾는 것이 이상적이지만, 매번 어려운 일 중 하나예요. 그럴 때는 장기 키워드를 활용하거나, 자신만의 독특한 관점이나 접근법을 통해 경쟁이 높은 주제에 대해 새로운 가치를 제공하는 방법도 좋아요.

4) '자연스러움': 키워드는 글 내에서 자연스럽게 녹아 있어야 합니다. 키워드를 과도하게 반복하거나 강제로 삽입하면, 검색 엔진이 '키워드 스태핑'으로 간주하고 블로그의 노출을 감소시킬 수 있거든요.

'자연스러움'은 키워드를 콘텐츠에 자연스럽게 보여주는 방식을 나타내요. 검색 엔진 최적화(SEO)의 목표는 웹사이트의 검색 엔진 랭킹을 향상시키는 것이지만, 이걸 위해서 키워드를 강제로 콘텐츠에 넣어서는 절대! 안돼요. 키워드는 독자가 읽는 데 방해가 되지 않도록 자연스럽게 콘텐츠에 녹여져야 합니다.

'서울 여행'이라는 키워드를 가지고 블로그 글을 작성한다고 생각 해볼게요. 이 키워드를 자연스럽게 녹이기 위해서는, 글의 주제를 '서울 여행'에 맞게 설정하고, 그에 따라 '서울 여행'이라는 키워드가 자연스럽게 텍스트에 포함되도록 작성해야 해요.

예를 들어, "서울 여행을 계획하고 있다면, 이 포스트는 당신에게 큰 도움이 될 것입니다. 오늘은 저의 서울 여행 경험을 바탕으로, 서울에서 가볼 만한 명소와 맛있는 음식점을 추천해드리겠습니다."라고 작성하면서 자연스럽게 키워드가 삽입되도록 글을 작성하는 거예요.

반면에, "서울 여행, 서울 여행, 서울 여행! 오늘은 서울 여행에 대해 이야기하겠습니다. 서울 여행을 가장 잘 즐기는 방법은 다른 사람의 글을 인용할 경우에는 반드시 출처를 명시해야 해요.

이렇게 독자를 위한, 그리고 진실된 내용의 게시물을 꾸준히 작성한다면, 저품질 게시물이 아닌, 높은 품질의 게시물을 만들어낼 수 있을 거에요. 이를 통해 블로그의 검색 노출도 높아지고, 독자들로부터 신뢰도 얻을 수 있어요.

네이버 블로그 콘텐츠 생성 가이드

블로그를 운영하는 데 있어 가장 중요한 것은 바로 '콘텐츠'입니다. 블로그의 콘텐츠는 블로거의 생각과 경험, 지식을 담은 것이죠. 그렇기 때문에 콘텐츠를 어떻게 생성하는가에 따라 블로그의 품질과 독자들의 반응이 크게 달라질 수 있어요. 이번에는 네이버 블로그에서 콘텐츠를 잘 작성하는 방법과 키워드를 잡는 방법에 대해 이야기해 볼게요.

먼저, 좋은 콘텐츠를 만들기 위한 가장 기본적인 원칙은 '독자 중심'입니다. 콘텐츠를 생성할 때는 항상 독자가 어떤 정보를 원하고, 어떤 형태로 정보를 제공받기를 원하는지를 고려해야 해요.

그래서 블로그를 시작하기 전에 먼저 자신의 블로그가 어떤 주제를 다룰 것인지, 그리고 그 주제에 관심이 있는 독자들은 어떤 정보를 찾고 있는지를 파악하는 것이 중요해요.

콘텐츠를 생성할 때는 다음의 3가지 원칙을 기억해주세요.

1) '유익성': 독자들이 블로그를 방문하는 가장 큰 이유는 유익한 정보를 얻기 위함입니다. 그래서 블로거는 자신의 지식과 경험을 바탕으로 독자들에게 도움이 될 수 있는 정보를 제공해야 해요. 또한, 이 정보는 사실에 근거한 것이어야 하며, 가능하다면 자신의 경험을 더해 독자에게 신뢰감을 줄 수 있게 해야 해요.

2) '독창성': 블로그의 콘텐츠는 블로거만의 독특한 시각과 경험을 담아야 합니다. 너무 일반적인 정보나, 다른 곳에서 쉽게 얻을 수 있는 정보보다는 블로거만의 독특한 콘텐츠가 독자들에게 더 큰 호응을 얻을 수 있어요.

3) '정직성': 블로그의 콘텐츠는 항상 정직해야 해요. 사실이 아닌 정보를 제공하거나, 광고나 홍보를 위해 과장된 내용을 담는 것은 독자들에게 신뢰를 잃게 만들 수 있어요. 그래서 블로거는 항상 자신이 확실하게 알고 있는 사실에 기반한 정보를 제공하고, 자신의 의견을 제시할 때는 그것이 개인적인 의견임을 분명히 해야 해요.

어떤 콘텐츠를 생성하더라도 3가지 원칙은 꼭 기억해두고 글을 작성한다면 독자들에게 신뢰를 주는 콘텐츠를 작성할 수 있을 거예요.

용해 작성을 하더라도 사람의 창의성과 감정이 꼭 들어가야 해요.

그래도 AI는 포스팅 작업을 보조하는 데에는 유용하게 활용될 수 있어요. AI를 활용하여 블로그 포스트의 주제를 도출하거나, 키워드 추천, 문장 구조 조언, 맞춤형 예시 제공 등을 할 수 있습니다. AI사용으로 블로거는 효율적으로 글을 작성하고, 포스트의 품질을 향상시킬 수 있어요.

결론적으로, 현재의 AI 기술로는 블로그 활동을 완전히 대체하기에는 한계가 있어요 하지만 AI는 블로그 작업을 보조하는 데에는 많은 잠재력이 있는 친구예요. 블로거의 창의성과 노력과 결합하면 훨씬 좋은 결과물을 만들어낼 수 있을 거예요!

블로그 작성에 AI를 활용하는 방법

요즘에는 블로거들 사이에서도 AI의 도움을 받아서 포스팅을 쓰는 방법을 선택하는 사람들이 늘어나고 있어요. 아무래도 좀 더 빠르고 수월하게 포스팅을 쓸 수 있기도 하고요. 나보다 더 많은 표현법과 문장력을 가지고 있는 AI의 스킬이 필요해서 쓰기도 합니다. 그래서 어떻게 활용하면 좋을까 많이 고민을 하게 되는데요. 간단하게 사용할 수 있는 방법들을 몇 가지 적어볼게요.

1) 주제 도출 및 키워드 추천: AI를 사용하여 블로그 포스트의 주제를 도출하고 키워드를 추천 받을 수 있어요. AI는 다양한 데이터를 분석하여 인기 있는 주제와 키워드를 파악하고 제안해줍니다. AI는 분석하고 요약하는 걸 잘하는 친구이기 때문에 주제도출과 키워드를 잘 추천해주거든요.

2) 문장 구조 조언: AI는 문장 구조와 표현에 대한 조언을 제공할 수 있어요. 글의 흐름이 자연스럽고 이해하기 쉬운지, 문장의 다양성과 다소의 변화를 주는 것이 필요한지 등을 AI의 조언을 통해 확인할 수 있습니다.

3) 맞춤형 예시 제공: AI는 비슷한 주제의 다른 블로그나 글을 분석하여 맞춤형 예시를 제공해줘요. 보여주는 예시를 참고해서 블로거는 자신의 글을 더욱 풍부하고 다양한 예시와 함께 구성할 수 있습니다.

4) 편집 및 교정: AI는 오타나 문법 오류를 찾아주고, 문장의 흐름이나 표현의 일관성을 확인해줄 수 있어요. 블로거는 올바른 문법과 자연스러운 표현을 사용하여 글을 교정하고 개선할 수 있습니다. 그리고 말투를 교정해주기도 해서 내가 사용하는 문체가 아닌 다른 사람의 문체로도 글을 작성해 볼 수 있어요.

5) 독자 반응 예측: AI는 이전 포스트나 유사한 주제의 다른 글들을 분석하여 독자 반응을 예측할 수 있어요. AI에게 글을 분석하고 독자의 반응을 예측해달라고 하면 어떤 주제와 글이 독

자들에게 더 많은 관심과 반응을 가져올 수 있는지 파악할 수 있습니다.

AI를 활용하여 네이버 블로그를 운영하는 것은 글을 작성하는 작업을 보조해주고, 블로그 운영에 큰 도움을 줄 수 있습니다. 하지만 앞서 말한바와 같이 AI는 여전히 독자와의 감성적인 연결이 필요한 블로그 활용에서 완벽하게 대체하기에는 한계가 있어요. AI를 도구로 활용하면서도 개인적인 특성과 창의성을 유지하는 것이 가장 중요해요. AI의 조언이나 제안을 받아들일 때에도 항상 블로거의 주관과 판단이 중요하며, 독자와의 소통과 연결을 유지하는 노력이 필요합니다.

AI (GPT) 블로그 작성의 한계

요즘에는 블로거들 사이에서도 AI의 도움을 받아서 포스팅을 쓰는 방법을 선택하는 사람들이 늘어나고 있어요. 아무래도 좀 더 빠르고 수월하게 포스팅을 쓸 수 있기도 하고요. 나보다 더 많은 표현법과 문장력을 가지고 있는 AI의 스킬이 필요해서 쓰기도 합니다. 그래서 어떻게 활용하면 좋을까 많이 고민을 하게 되는데요. 간단하게 사용할 수 있는 방법들을 몇 가지 적어 볼게요.

1) 주제 도출 및 키워드 추천: AI를 사용하여 블로그 포스트의 주제를 도출하고 키워드를 추천 받을 수 있어요. AI는 다양한 데이터를 분석하여 인기 있는 주제와 키워드를 파악하고 제안해줍니다. AI는 분석하고 요약하는 걸 잘하는 친구이기 때문에 주제도출과 키워드를 잘 추천해주거든요.

2) 문장 구조 조언: AI는 문장 구조와 표현에 대한 조언을 제공할 수 있어요. 글의 흐름이 자연스럽고 이해하기 쉬운지, 문장의 다양성과 다소의 변화를 주는 것이 필요한지 등을 AI의 조언을 통해 확인할 수 있습니다.

3) 맞춤형 예시 제공: AI는 비슷한 주제의 다른 블로그나 글을 분석하여 맞춤형 예시를 제공해줘요. 보여주는 예시를 참고해서 블로거는 자신의 글을 더욱 풍부하고 다양한 예시와 함께 구성할 수 있습니다.

4) 편집 및 교정: AI는 오타나 문법 오류를 찾아주고, 문장의 흐름이나 표현의 일관성을 확인해줄 수 있어요. 블로거는 올바른 문법과 자연스러운 표현을 사용하여 글을 교정하고 개선할 수 있습니다. 그리고 말투를 교정해주기도 해서 내가 사용하는 문체가 아닌 다른 사람의 문체로도 글을 작성해 볼 수 있어요.

5) 독자 반응 예측: AI는 이전 포스트나 유사한 주제의 다른 글들을 분석하여 독자 반응을 예측할 수 있어요. AI에게 글을 분석하고 독자의 반응을 예측해달라고 하면 어떤 주제와 글이 독

장을 선택해서 키워드를 정해야 해요. 각종 키워드 분석 사이트나 네이버 데이터 랩 같은 곳에서 키워드를 분석해 두었어요. 그 곳에서 우리는 분석된 자료를 통해 키워드의 수요를 볼 수 있어요.

'수요'는 특정 키워드에 대한 사람들의 검색량을 나타냅니다. 즉, 얼마나 많은 사람들이 그 키워드를 검색하려고 하는지를 의미해요. 이는 SEO에서 중요한 요소로, 높은 수요의 키워드를 포함시키면 더 많은 사람들이 해당 블로그 포스트를 찾을 가능성이 높아져요.

예를 들어, '여름 휴가지 추천'이라는 주제로 블로그 포스트를 작성한다고 가정해 볼게요. 이 경우, '여름 휴가지', '국내 여행지 추천', '가족 여행지 추천' 등과 같은 키워드를 생각해볼 수 있습니다. 이 키워드들 중 어떤 것이 가장 높은 수요를 가지고 있는지를 알아보려면 키워드 연구 도구를 활용해서 사람들이 어떤 단어를 가지고 해당 주제를 검색하는지를 알아봐야 해요.

예를 들어, 네이버의 '데이터 랩'이나 '크리에이터 어드바이저' 등을 사용해서 각 분야에서 많이 검색되는 실시간 검색어의 검색량 등을 확인할 수 있고, 검색어 분석 사이트에서 키워드를 입력 후 어느정도 검색이 되는지 확인해 볼 수도 있어요. 이를 통해 '국내 여행지 추천'이 '여름 휴가지'나 '가족 여행지 추천'보다 더 높은 검색량을 가지고 있다면, '국내 여행지 추천'을 써야 하겠구나 하고 생각 할 수 있죠!

하지만, 수요가 높은 키워드는 경쟁도 높을 가능성이 높아요! 이 점을 꼭 기억하셔야 해요.

가장 좋은 것은 높은 수요와 낮은 경쟁을 동시에 고려하여 키워드를 선택하는 것이 좋습니다. 또한, 수요가 높은 키워드를 선택했다면, 그 키워드가 내 글의 내용과 잘 맞는지, 자연스럽게 녹아 있는지도 꼭 확인하셔야 합니다.

3) '경쟁': 너무 많은 블로그 글에서 동일한 키워드를 사용하고 있다면, 해당 키워드로 상위 노출되기가 어려워요. 왜냐하면 해당 키워드를 작성한 모두가 상위노출을 위해 경쟁하기 때문이에요. 그래서 검색량은 많지만 경쟁이 비교적 적은 '롱테일 키워드'를 활용하는 것도 좋아요!

경쟁'은 특정 키워드에 대해 타 블로거들이 얼마나 많이 콘텐츠를 제공하고 있는지를 나타내는데요. 즉, 어떤 키워드에 대한 정보를 제공하는 블로그가 많을수록 그 키워드에 대한 경쟁은 치열해요.

예를 들어, '다이어트 방법'이라는 주제로 블로그 포스트를 작성한다고 가정해 볼게요. 이 경우, '다이어트 방법', '건강한 다이어트', '효과적인 다이어트' 등과 같은 키워드를 생각해볼 수 있겠죠? 이러한 키워드들 중 '다이어트 방법'이 가장 널리 사용되는 키워드일 가능성이 높아요. 따라서 '다이어트 방법'에 대한 정보를 제공하는 블로그가 꽤 많을 것이고, 이건 높은 경쟁을 의

05
이제는 진짜 블로그를
시작할 때

블로그 시작하기

인공지능의 시대가 오면서 활기를 되찾은 SNS시장. 이제는 정말 SNS를 하지 않으면 안 되는 세상이 온 것 같아요. 그래서 제 주변에서도 블로그를 시작하려는 분들이 꽤 많아졌습니다.

블로그를 시작하려는 분들이 가장 먼저 고민하게 되는 것! 뭘까요?

바로 '블로그 주제'입니다. 블로그 주제는 블로그의 방향성을 결정짓는 중요한 요소이기도 하고 꾸준히 오랜 시간 작성해야 할 내 이야기이기도 해서 정말 잘 정해야 해요. 그렇다면 어떻게 효과적으로 블로그 주제를 잡을 수 있을까요?

1) 자신의 관심사를 블로그 주제로 선택하는 이유와 방법

블로그는 개인의 생각과 경험을 나누는 공간입니다. 그렇기 때문에 블로그 주제는 개인의 관심사가 중요한 역할을 해요. 자신이 관심 있는 주제에 대해 쓰는 것은 굉장히 즐겁다는 게 첫 번째 이유입니다. 그리고 관심있는 주제라면 그 주제에 대한

깊은 이해와 풍부한 정보를 가지고 있을 가능성이 높아서 독자들에게 유익한 정보를 제공할 수 있어요.

먼저, 자신이 어떤 것에 대해 가장 많이 알고, 가장 열정적으로 이야기할 수 있는지를 생각해보세요. 그게 바로 여러분 블로그의 주제가 될 거예요. 네이버 블로그를 이용한다면, 블로그 설정에서 '블로그 주제'를 설정할 수 있는데요. 여기에 자신의 관심사를 입력하면 블로그 방문자들이 블로그의 주제를 한눈에 알아볼 수도 있고 그 주제에 관심있는 사람들이 주제를 보고 방문하기도 해요.

2) 주제에 따른 타깃 독자 선정의 중요성

블로그 주제를 선정하는 것만큼 중요한 것이 바로 '타깃 독자'를 선정하는 것입니다. 타깃 독자란, 내 블로그 콘텐츠를 가장 즐기고, 유익하게 볼 수 있는 특정한 독자 그룹을 말해요. 블로그가 어떤 주제를 다루느냐에 따라, 그 주제에 관심이 있는 독자들이 타깃 독자가 될 수 있어요. 어떤 타겟층이 내 이야기를 가장 많이 읽어줄지 미리 생각해보세요.

타깃 독자를 선정하는 것이 중요한 이유는, 우리가 콘텐츠를 만들 때 독자의 관심사와 필요성을 미리 고려할 수 있기 때문이예요. 타깃 독자를 설정하면 타겟층이 좋아할만한 주제로 글을 쓸 수 있고요. 말투, 단어와 같은 부분에서도 타깃이 좋아하는 문체로 작성할 수 있어요.

타깃 독자들의 관심사를 알고 그에 맞는 콘텐츠를 제공한다면, 독자들은 내 블로그를 더 많이 사랑해줄 거예요.

블로그 주제와 타깃 독자를 선정하는 것은 블로그의 방향성을 설정하는 첫걸음입니다.

블로그 포스팅 키워드 정하기

블로그를 시작할 땐 고민해야 하는 것들이 정말 많죠? 저와 함께 공부하셨던 수강생 분들이 가장 어려워하셨던 부분이 바로 '첫 글'이었어요. 이 첫 글이 블로그의 첫인상을 결정짓지 않을까? 하는 마음과 누구나 볼 수 있는 오픈 된 공간에서 내 이야기를 써야 한다는 것이 부끄럽기도 하고 살짝 겁이 나기도 한다고 하시더라고요. 물론 저처럼 일단 아무거나 적어보자 하시는 분들도 있지만요.

부끄럽고 두려운 마음을 제치고서 글을 쓰겠다고 결심을 하고 나면 그때부터는 대체 뭘 써야 할까? 하는 생각에 진도가 안 나간다고 하시는 분들이 있었어요.

그렇다면 첫 글을 작성할 때 어떤 키워드를 활용하면 좋을까요? 첫 글을 작성할 때는 블로그의 주제와 관련된 핵심 키워드를 활용하는 것이 중요해요. 예를 들어, '여행'을 주제로 하는 블로그를 운영한다면 '여행 팁', '여행지 추천', '여행 준비물' 등의 키워드를 활용해 글을 작성할 수 있어요. 이미 정한 주제를 가지고 첫 글을 적기 시작하면 마치 시리즈를 작성하는 작가처럼 그 이후의 포스팅은 어떤 걸 해야 할 지 떠오르거든요.

그리고 내 블로그 주제와 관련된 글을 적어 첫 글을 완성하게 되면 오답노트를 만든 것처럼 어떤 부분을 수정해야 할지 또는 보완해 나가야 할지가 보이기 시작합니다. 그래서 저는 수강생에게 첫 글도 내 블로그 주제와 맞는 글을 적어 보시라고 추천해드리는 편이예요.

내 블로그 주제와 맞는 첫 글을 적기위해 키워드를 열심히 고민하고 나면 이후에도 키워드 찾기가 수월 해집니다. 혹시라도 키워드를 찾는 게 너무 어렵다면 '네이버광고' 나 '구글 키워드 플래너' '블랙키위' 등 키워드 분석 사이트들을 참고하시는 것도 좋아요.

초보 블로거가 적어보면 좋을 만한 주제와 키워드를 몇 가지 추천해 드릴게요.

여행)

여행지 추천, 여행 팁, 여행 준비물, 여행 영어, (계절)에 가면 좋은 여행지, 해외여행비자, 여권사진

육아)

육아팁, 육아 상품 추천, 아이랑 가볼 만한 곳, 태교, 이유식

레시피, 아이반찬, 아이발달과정

요리)

 홈쿡 레시피, 초간단 레시피, 건강식 레시피, 황금 레시피, 제철요리, 제육볶음 레시피, 미역국 레시피

패션)

 오오티디, 패션 아이템 추천, 계절별 패션, 패션 팁, 빅사이즈, 학생코디, 직장인코디템

이렇게 본인이 선택한 주제에서 독자들이 많이 검색할 것 같은 단어들을 키워드 삼아 첫 글을 작성해보세요! 처음부터 상위 노출이 되기는 어려울 수 있지만 키워드를 검색해서 들어온 방문자 그리고 내 글을 읽어주는 소중한 독자님과 소통할 수 있게 될 거예요.

블로그 글쓰기 초간단 팁

주제도 잡았고, 첫글에 쓸 키워드도 잡았다면 이제는 진짜 작성을 해봐야겠죠?

글을 쓸 때 고려하면 좋은 초간단 팁들을 적어보도록 할게요.

1) 타깃 독자를 생각하며 작성하기

블로그 글을 쓸 때는 독자를 항상 고려해야 해요! 독자의 관심사를 알고, 그에 맞는 콘텐츠를 제공해야 독자들이 더욱 흥미롭게 글을 읽을 거예요. 예를 들어, 여러분이 패션에 관심이 많

다면, 패션에 관련된 다양한 주제를 다루는 게 좋아요. 올해 유행하는 패션템이나 퍼스널 컬러같은 독자들이 흥미를 가질 만한 내용들을 자꾸만 상기 시켜서 작성해보세요. 독자들은 자신의 관심사에 대한 정보를 얻기 위해 여러분의 블로그를 찾을 거예요.

2) 제목은 중요해 !

글의 첫 인상을 결정짓는 제목은 매우 중요해요! 흥미로운 제목을 사용하면 독자들이 글을 클릭하고 읽어보려 할 거예요. 예를 들어, "202x 패션 트렌드 예측!"이나 "이번 주 상장종목" 같은 제목은 독자들에게 호기심을 유발할 수 있어요. 제목을 작성할 때는 독자의 관심을 끌 수 있는 키워드나 문구를 활용해보세요.

3) 문장과 단락을 짧게:

독자들이 글을 쉽게 읽을 수 있도록 문장과 단락을 짧게 작성해야 해요. 너무 긴 문장이나 단락은 독자들이 이해하기 어렵게 만들 수 있어요. 특히 요즘 젊은 세대들은 긴글을 읽는 것에 익숙하지 않아요. 따라서, 짧고 간결한 문장을 사용해서 글을 구성해주세요. 또한, 단락이나 인용구를 적절히 활용하여 글의 구조를 분명하게 해 독자들이 내용을 파악하기 쉽도록 해주세요.

4) 미디어 활용:

블로그에서 이미지는 빠질 수 없는 필수 요소예요! 예쁜 사진 그리고 정보를 알 수 있는 동영상 등 미디어를 적절하게 사용해주세요. 예를 들어, 패션 블로그를 쓴다면 다양한 스타일의 패션 아이템들을 보여주는 이미지를 활용해볼 수 있어요. 이미지는 글의 내용을 시각적으로 전달해주기 때문에 독자들이 글을 더욱 잘 이해하고 공감할 수 있을 거예요.

5) 일관된 톤과 스타일 유지:

글의 톤과 스타일을 일관되게 유지하는 것이 중요해요. 일관된 톤과 스타일은 블로그의 전체적인 이미지를 강화 시켜 줄 수 있어요. 예를 들어, 발랄하고 유쾌한 톤을 유지하면 독자들이 여러분의 글을 더욱 기분 좋게 읽을 수 있어요. 일관성 있는 스타일을 유지해서 블로그를 브랜딩 하면 독자들이 여러분의 블로그를 더욱 익숙하게 느낄 수 있고 기억에도 오래 남아요.

6) 맞춤법과 문법 체크:

맞춤법과 문법 오류는 글의 질을 떨어뜨릴 수 있어요. 따라서, 글을 올리기 전에 맞춤법과 문법을 체크해주세요. 맞춤법 검사기나 문법 검사기를 활용하여 오류를 찾아 수정하는 것이 좋아요. 네이버 블로그에 맞춤법 검사기가 포함되어 있으니 글쓰기 메뉴에서 사용해보세요. 깔끔하고 정확한 글을 통해 독자들에게 더 높은 신뢰성을 전달할 수 있을 거예요.

7) 정보의 출처 표시:

다른 곳에서 정보를 인용할 때는 출처를 반드시 표시해야 해요. 이는 저작권을 존중하는 것뿐만 아니라 글의 신뢰성을 높이는 데에도 도움이 됩니다. 출처를 표시함으로써 독자들은 여러분이 제공하는 정보의 신뢰성을 확인할 수 있고, 추가적인 참고 자료를 찾아볼 수도 있을 거예요.

블로그 시작하기 딱 좋은 날

블로그는 개인적인 이야기와 경험을 공유하고, 다른 사람들과 소통을 하기도 하고요. 지식과 정보를 제공해줄 수도 있는 플랫폼입니다. 다양한 면에서 큰 가치를 가지고 있는 블로그.

 매달 블로그 수업을 오픈할 때 마다 많은 초보 수강생분들이 찾아오세요. 오실 때마다 늘 하시는 이야기가 있어요.

"선생님, 저는 글 쓰는 재주가 없어요."

"너무 오랜 시간 글을 쓰지 않았더니 맞춤법이 기억이 안나요."

"이런 글을 누가 읽어 주긴 할까요?"

"글을 쓰는 시간이 너무 오래 걸려요."

"사진도 못찍고, 영상편집도 할 줄 몰라요. 글도 못 쓰겠어요."

GPT는 다양한 기능을 제공해요. 예를 들어, 자동 번역, 텍스트 요약, 질의응답, 문장 생성, 감정 분석 등의 작업을 수행해줘요. GPT는 다양한 분야에서 활용될 수 있으며, 특히 네이버 블로그 같은 플랫폼에서도 유용하게 사용될 수 있어요. GPT를 활용해서 블로그 포스트를 생성하거나, 포스트의 내용을 요약하는 등의 작업을 자동화할 수 있어요.

물론 GPT는 아직 완벽하지는 않아요. 가끔씩 문맥에 어긋나거나 부적절한 답변을 생성하기도 해요. 블로거의 역할을 수행하려고 노력하지만 정말 사람이 쓴 것과 100%같은 느낌을 주기는 어려워요. 하지만 지속적인 연구와 개선을 통해 GPT는 점차 발전하고 있기 때문에 앞으로 더 많은 기능과 성능의 향상이 이루어지겠죠?

AI(GPT)는 다양한 분야에서 사용되고 있어요. 몇 가지 예시를 들어 볼게요.

1) '자연어 처리'(Natural Language Processing, NLP): AI(GPT)는 자연어 처리 분야에서 많이 활용됩니다. 텍스트 요약, 번역, 감정 분석, 질의응답 시스템 등 다양한 NLP 작업에 적용될 수 있습니다.

2) '콘텐츠 생성': AI(GPT)는 글, 시, 소설, 논문 등 다양한 형태의 텍스트를 생성하는 데 사용될 수 있습니다. 예를 들어, 작가나 마케터는 AI(GPT)를 활용하여 콘텐츠를 자동으로 생성하

거나 아이디어를 도출할 수 있습니다.

3) '음성 인식': AI(GPT)는 음성 인식 분야에서도 사용됩니다. 음성 인식 기술을 개선하고, 음성을 텍스트로 변환하는 작업에 활용될 수 있습니다.

4) '상담 및 대화 시스템': AI(GPT)는 상담이나 대화 시스템에서 사용될 수 있습니다. 예를 들어, 고객 문의에 대한 자동 응답 시스템이나 가상 비서로 활용될 수 있습니다.

5) '의료 분야': AI(GPT)는 의료 분야에서도 활용되고 있습니다. 의료 기록 분석, 진단 지원, 약물 개발 등 다양한 응용이 가능합니다.

물론 이 외에도 AI(GPT)는 다양한 분야에서 활용될 수 있으며, 연구와 개발이 계속 진행되면서 더 많은 가능성이 열릴 것으로 기대해요.

AI가 블로깅을 완전히 대체하는 것은 아직은 어렵습니다. AI(GPT)는 텍스트를 생성하고 이해하는 능력이 있지만, 현재로서는 인간의 창의성과 경험을 대체하기에는 한계가 있어요.

블로그를 쓴다는 것은 개인의 의견, 경험, 감정 등을 담은 글을 작성하는 것이기 때문에, 독자와의 감정적인 연결과 글쓴이의 개성이 중요한데요. AI가 이러한 면에서 완벽하게 대체하기는 어려우니까요. 블로그는 독자들에게 인간적인 요소를 전달하고, 독자와의 상호작용과 소통을 이루는 과정이기 때문에 AI를 사

강사로서 이 고민들을 함께 고민해주고 해결해주는 게 지금까지 제 일이었습니다. 좀 더 재미있게 글을 쓰실 수 있도록 돕고, 어떤 주제를 쓰면 좋을지 함께 생각해주고요.

그런데 이제는 꼭 옆에 저 같은 블로그 강사들이 없더라도 24시간 매일 함께 있어주는 인공지능 친구들이 생겼어요. 인공지능 모델들은 우리가 글을 잘 쓸 수 있도록 도와주기도 하고요. 제목을 지어주기도 합니다. 사람의 언어를 이해하고 우리가 원하는 내용의 글을 작성해 줄 수 있어요.

도저히 아이디어가 떠오르지 않는 때에도 약간의 정보와 방향성만 주면 멋진 아이디어를 대신 생각해주기도 해요.

이렇게 든든한 친구가 있는데 블로그 안 할 이유가 있나요?

블로그는 여러분이 자유롭게 창작하고 표현할 수 있는 공간입니다. 글쓰기, 사진, 동영상 등 다양한 형식으로 나를 세상에 알릴 수 있어요.

나의 예술적인 재능을 발휘하거나 누군가에게 새로운 스킬과 정보를 제공할 수도 있죠. 새로운 독자들과 소통하고 공유하면서 성장할 수도 있어요.

자신을 브랜딩 해야 하는 시대에 블로그는 최적의 브랜딩 장소라고 생각해요. 많은 이유를 고려해 봐도 블로그를 운영하는 것은 큰 가치를 만들어내는 일이라고 생각해요.

나를 학습해주고, 나에게 영감을 주고, 부족한 부분을 함께 고민해주는 인공지능 친구들이 생긴 지금 이야말로 "블로그 시작하기 딱 좋은 날"이 아닐까요?

이 책을 다 읽으신 지금 이 시간부터 바로 블로그를 시작해보는 것은 어떠세요? 여러분의 이야기를 세상에 전하고, 새로운 경험과 성장을 만들어가는 여정에 출발해보세요. 행운을 빕니다!

활용하면 독자들의 선호도를 파악하는 데 도움이 될거에요.

그리고 포스트를 작성할 때는 검색 엔진 최적화(SEO)를 고려하는 것도 중요해요. 특히, 제목과 서론, 그리고 태그는 검색 결과에 큰 영향을 미치니, 이 부분에는 신경을 써서 작성하는 것이 좋아요. 또, 관련 이미지나 동영상 등을 포함시키면 독자들이 글을 읽는 데 도움이 되고, 검색 엔진에서 더 잘 잡히게 도와줄 거예요.

이 외에도 다양한 전략들이 있지만, 결국 가장 중요한 것은 '블로거 자신이 무엇을 전달하고 싶은 지', 그리고 '독자들이 무엇을 원하는지'를 잘 파악하는 것이에요. 이를 위해 블로거 자신의 경험과 독자들의 반응을 잘 관찰하고, 그에 따라 전략을 유연하게 수정하거나 변경하는 것이 중요해요.

성공적으로 블로그를 운영하고 있는 사례를 살펴보도록 할게요. 'OO의 여행이야기'라는 블로그는 매일 여행지에서의 경험과 팁을 공유하며, 이를 통해 많은 독자들의 사랑을 받고 있어요. 이 블로거는 1일 1포스팅을 꾸준히 이어가면서도, 독자들의 댓글에는 꼼꼼하게 답변을 달아주고 있어요. 또, 독자들이 관심 있을 만한 여행지나 팁에 대한 포스트를 작성하면서 독자들의 선호도를 잘 파악하고 있어요. 이처럼 꾸준한 활동과 독자 중심의 운영 전략이 성공적인 블로그 운영의 좋은 예시가 될 수 있을 것 같아요.

블로그 운영은 쉽지 않지만, 잘 관리하고 전략을 세우면 많은 독자들에게 좋은 정보를 제공하고, 독자들과 소통하는 데 큰 즐거움을 느낄 수 있어요. 여러분들도 이런 팁들을 활용해서 성공적인 블로그 운영에 도전해 보시길 바랍니다.

네이버 블로그에서 '저품질 게시물'이라는 용어를 들어 보셨을지 모르겠어요. 이는 네이버에서 사용자들에게 높은 품질의 콘텐츠를 제공하기 위해 설정한 기준을 충족하지 못하는 게시물을 지칭하는 말입니다. 저품질 게시물로 판단되면, 해당 포스트는 검색 결과에서 노출되지 않게 되어 독자들이 찾아보기 어려워집니다.

그럼 저품질 게시물은 어떤 것일까요? 일반적으로 내용이 부족하거나, 너무 많은 키워드를 무리하게 넣어서 내용이 자연스럽지 않은 게시물, 복사 붙여넣기로 작성한 게시물 등이 저품질 게시물로 분류됩니다. 또한, 광고나 판매를 위주로 한 게시물, 독자에게 도움이 되지 않는 콘텐츠도 저품질 게시물로 간주될 수 있어요.

저품질 게시물을 피하는 가장 좋은 방법은 '독자 중심'의 콘텐츠를 만드는 것입니다. 독자가 어떤 정보를 원하는지를 고려하고, 그에 맞는 유익하고 풍부한 내용을 제공하는 게시물을 작성하는 것이 중요해요. 또한, 게시물 내용이 자연스럽게 흐르도록 작성하되, 필요한 키워드는 적절하게 배치하는 것도 중요합니다. 무엇보다, 본인이 직접 작성한 원작자의 글이어야 하며,